Catalogage avant publication de
Bibliothèque et Archives Canada

Fan, Terry
[Night gardener. Français]
Le jardinier de la nuit / Terry Fan et Eric Fan,
auteurs et illustrateurs ; texte français d'Hélène Pilotto.

Traduction de : The night gardener.
ISBN 978-1-4431-5569-4 (relié)
I. Fan, Eric, auteur, illustrateur II. Pilotto, Hélène, traducteur
III. Titre. IV. Titre: Night gardener. Français.
PS8611.A55N5414 2017          jC813'.6          C2016-904651-6

Édition publiée par les Éditions Scholastic, 604, rue King Ouest, Toronto (Ontario) M5V 1E1.

5 4 3 2 1     Imprimé en Chine CP155    17 18 19 20 21

Conception graphique de Lizzy Bromley

Le texte a été composé avec la police de caractères Adobe Garamond.

Les illustrations ont été réalisées au crayon graphite et colorées par ordinateur.

À MAMAN ET À PAPA
— T.F. ET E.F.

# Le JARDINIER de la NUIT

Terry Fan et Eric Fan

Texte français d'Hélène Pilotto

**SCHOLASTIC**

William regarde par la fenêtre.
Une grande agitation règne dans
la rue. Aussitôt, le garçon s'habille,
dévale l'escalier, se précipite dehors
et découvre…

un grand hibou, apparu durant la nuit comme par magie.
Émerveillé, William passe la journée à l'admirer.

Il le contemple jusqu'à ce qu'il
fasse trop sombre pour le voir.

Ce soir-là, il se met au lit,
habité d'une grande fébrilité.

Le lendemain matin,

William n'est pas déçu.

Chaque jour, il découvre une nouvelle œuvre.
D'abord un sympathique lapin,

puis un joli perroquet…

et un éléphant enjoué.

Chaque nouvelle sculpture attire une foule de plus en plus nombreuse.

Il se passe quelque chose dans la rue Grimloch.

Quelque chose de bien.

Le lendemain, William se rue hors de chez lui

et suit la foule qui vient de découvrir…

le chef-d'œuvre le plus époustouflant
jusqu'à présent!

La fête se poursuit jusque
tard dans la nuit.

En rentrant, William aperçoit…

un inconnu.

Se pourrait-il que...

L'homme se retourne et dit à William :
— Il y a tant d'arbres dans ce parc.
Un coup de main ne serait pas de refus.
C'est *lui*. C'est le jardinier de la nuit!

À la lueur
de la pleine lune,

ils travaillent
ensemble très tard
dans la nuit.

Au matin, William est réveillé par les cris joyeux
des familles qui passent.

Un cadeau l'attend, laissé par le jardinier de la nuit.

Toute la ville accourt pour admirer le travail grandiose
du jardinier de la nuit… et de William.

Avec le temps, les feuilles des arbres changent de couleur…

puis tombent,

jusqu'à ce qu'il n'y ait plus
aucune trace du passage
du jardinier de la nuit
à Grimloch.

Mais les habitants de la petite
ville ne sont plus les mêmes.

Et William non plus.